La casa sul

Illustrazioni di Annalisa Beghelli

Redazione: Stefania Sarri
Progetto grafico e direzione artistica: Nadia Maestri
Grafica al computer: Carlo Cibrario-Sent, Simona Corniola
Ricerca iconografica: Alice Graziotin

Prima edizione: gennaio 2013

Crediti fotografici:
Istockphoto; Dreams Time; Shutterstock Images; © BlueRed/CuboImages: 15; Tips Images: 17; Web Photo: 36, 37lc; © VIDEA-CDE/Web Photo: 37r; De Agostini Pictures Library: 60, 61, 62, 63.

Saremo lieti di ricevere i vostri commenti o eventuali suggerimenti, e di fornirvi ulteriori informazioni sulle nostre pubblicazioni:
info@blackcat-cideb.com

Le soluzioni degli esercizi sono disponibili sul sito:
blackcat-cideb.com

The design, production and distribution of educational materials for the CIDEB brand are managed in compliance with the rules of Quality Management System which fulfils the requirements of the standard ISO 9001 (Rina Cert. No. 24298/02/S - IQNet Reg. No. IT-80096)

Stampato in Italia da Italgrafica, Novara

Indice

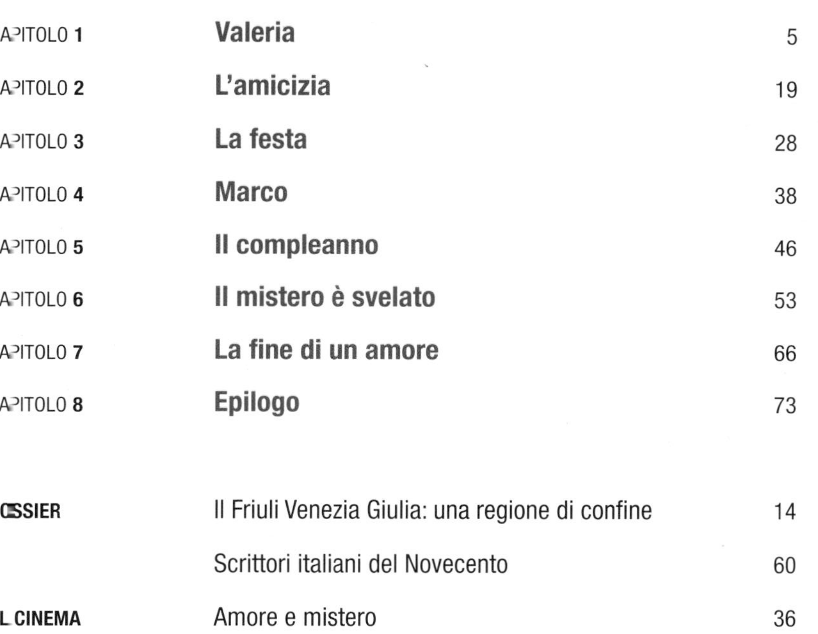

 Il testo è integralmente registrato.

Esercizi in stile CELI 2 (Certificato di conoscenza della lingua italiana), livello B1.

Personaggi

Da sinistra a destra: il padre, Valeria, Fabio, Susanna, Marco.

CAPITOLO **1**

Valeria

Valeria è molto bella: ha gli occhi azzurri, i capelli scuri e le gambe lunghe e snelle. Vive sola con la madre in un paese, in una grande casa sulla scogliera. Il paese di Valeria si trova vicino a Trieste, nel nord est dell'Italia. Valeria frequenta il liceo ed è molto brava a scuola perché studia ed è intelligente.

Ma Valeria non è felice. La gente dice che abita in una casa 'maledetta' dove succedono cose strane e lei stessa non ha mai confidato[1] a nessuno il segreto che nasconde. Di notte

1. **confidare** : dire in segreto.

i vicini sentono grida e pianti, vedono luci che si accendono e si spengono; un giorno, qualche anno prima, la sala al pianterreno ha preso fuoco. Molti dicono che la madre è una strega, che compie[2] nella sua casa riti magici.

La madre dice spesso a Valeria:

"Non devi pensare agli altri e alle loro parole. Cerca di essere sempre te stessa..." Ma anche lei sa che a causa della famiglia molti non frequentano sua figlia.

Anche quelli che non credono a queste cose, non diventano suoi amici, perché lei è molto timida, così timida, che in classe parla piano e passa gli intervalli[3] tutta sola alla finestra guardando i suoi compagni che parlano e ridono tra loro. Quando la guardano diventa rossa.

Valeria, chiusa nel suo mondo, osserva gli altri vivere.

Un giorno Valeria va in biblioteca: deve fare una ricerca per la scuola su uno scrittore italiano. Ha scelto Dino Buzzati: le piacciono le sue storie fantastiche e misteriose e soprattutto il romanzo: 'Il deserto dei tartari'.

In questo libro la storia si svolge in un luogo che le ricorda molto il paese in cui vive. In biblioteca prende tutti i libri che le servono per la ricerca e si siede nella sala di lettura. Improvvisamente vede, accanto a lei, una faccia conosciuta: è Marco.

Marco è un suo compagno di classe e il ragazzo più bello della scuola. È simpatico, ha tanti amici, parla e ride molto. È uno specialista[4] delle feste, dove si può incontrare e conoscere tanta gente.

2. **compiere** : (qui) fare, svolgere.
3. **intervallo** : pausa tra le lezioni.
4. **specialista** : esperto, che sa tutto di qualcosa.

ino Buzzati
rto dei tartari
D.Buzzati
Buzzati

In classe Valeria lo sente sempre parlare di feste, di concerti e di film.

Dice ad esempio: “La festa di Sara è stata molto noiosa.” oppure “Il concerto degli U2 era bellissimo.” Marco non è molto bravo a scuola. Lei gli ha sentito dire spesso: “Ho troppe cose da fare per pensare alla scuola...”

Adesso la guarda con gli occhi spalancati[5].

Valeria si domanda: “Perché mi guarda così? Mi conosce... Siamo da sempre in classe insieme...” Ma spesso succede questo: hai sempre una persona davanti agli occhi e poi, improvvisamente, un giorno ti sembra di vederla per la prima volta!

“Anche tu devi fare la ricerca... Che noia!” dice Marco.

Valeria vuole rispondere qualcosa, ma non sa cosa e sta zitta. Marco apre e chiude i libri, scrive poco, ripete tutto il tempo: “Che noia...”

Valeria, invece, prende appunti[6] velocemente da brani di questo o quel libro e aggiunge i suoi commenti personali. Improvvisamente Marco le domanda:

“Vuoi venire a bere qualcosa?”

Valeria risponde: “Va bene” e vanno insieme al bar della biblioteca. Prendono tutti e due una cioccolata. Marco parla e parla. Parla dei loro professori e li prende in giro[7]: la prof.[8] di scienze ha la testa che sembra un uovo, il prof. di italiano sembra una rana, la prof. d’inglese si veste male e ha le gambe storte. Valeria lo trova molto divertente e ride.

5. **spalancato** : completamente aperto.
6. **prendere appunti** : scrivere note mentre si legge un libro.
7. **prendere in giro** : scherzare su qualcuno.
8. **prof.** : sta per professore, professoressa (insegnante).

Quando tornano nella sala di lettura Marco le domanda:

"Mi puoi aiutare a fare la ricerca?"

"Sì, certo," risponde lei, contenta di poter fare qualcosa per lui, "io ho praticamente finito."

La ricerca di Marco è sullo scrittore Italo Svevo, che ha vissuto proprio nella regione dove abitano loro: il Friuli Venezia Giulia. Valeria chiede a Marco:

"Perché Italo Svevo? Ti piace...?"

"No..., sì... non lo so veramente... Ho letto soltanto una pagina di un suo romanzo. È la prof. d'italiano che me lo ha detto..."

"A me Italo Svevo piace molto" dice Valeria. "Mettiamoci subito al lavoro così finiamo presto!"

Prima di sera una parte della ricerca di Marco è pronta.

"Domani possiamo vederci ancora qui" dice lui.

Valeria è d'accordo. Trova Marco molto simpatico e... attraente[9].

Tornano a casa insieme. Camminano lungo una strada sul lungomare. È ottobre, ma fa già freddo. Il mare è grigio come la nebbia.

"A me piace il mare, anche d'inverno" dice Marco.

"Anche a me. Io amo il mare. Sempre!" commenta Valeria.

Si guardano e sorridono.

9. **attraente** : bello, affascinante.

Comprensione

1 Indica l'alternativa corretta riguardo al personaggio di Valeria.

1 Valeria è
- a ☑ molto brava a scuola.
- b ☐ una ragazza ribelle.
- c ☐ molto felice.

2 Valeria vive
- a ☐ da sola.
- b ☑ con sua madre.
- c ☐ con i suoi nonni.

3 Cosa dicono le persone di Valeria?
- a ☐ Che abita in una casa antica.
- b ☑ Che abita in una casa maledetta.
- c ☐ Che abita in una casa brutta.

4 Che cosa dicono della madre di Valeria?
- a ☐ Che è una donna molto bella.
- b ☑ Che è una strega.
- c ☐ Che non si occupa della figlia.

5 Che cosa sa la madre di Valeria?
- a ☑ Che la figlia è timida di natura.
- b ☐ Che la figlia ha pochi amici perché è straniera.
- c ☐ Che la figlia ha pochi amici a causa della situazione familiare.

2 Che tipo è Marco? Rispondi alle seguenti domande riguardo a questo personaggio.

1 Com'è d'aspetto? appearance
2 Di che cosa è "specialista"? feste
3 È bravo a scuola? Non
4 Di che cosa parla spesso? Ha troppo cose da fare etc.

3 **Metti adesso gli eventi che accadono nel primo capitolo nel corretto ordine cronologico.**

a ☐ Qui incontra Marco, un suo compagno di classe.
b ☐ Studiano insieme e chiacchierano.
c ☐ Lei accetta perché le piace Marco.
d ☐ Tornano a casa insieme e Marco le chiede un appuntamento per il giorno dopo.
e ☐ Deve fare una ricerca riguardo a uno scrittore.
f ☐ Un giorno Valeria va in biblioteca.

Competenze linguistiche

4 **La vicenda si svolge nel mese di ottobre. In quale stagione è ottobre?**

....

5 **Guarda queste immagini e scrivi i nomi delle stagioni.**

1 ....
2 ....
3 ....
4 ....

6 **Scrivi le parole che corrispondono a queste definizioni.**

0 Scrive romanzi. S crittore..............
1 Qualcosa che sa una sola o poche persone. S ....
2 Una donna che fa magie. S ....
3 Qui si trovano tanti libri da consultare. B ....
4 Ci si va per ascoltare musica. C ....
5 Qui si incontrano persone e ci si diverte. F ....
6 Una grande distesa d'acqua. M ....

7 Inserisci in queste frasi le parole dell'esercizio 6.

1 A Maria non piace andare in montagna in estate. Lei va sempre al ....

2 Quella donna è terribile. È una ....

3 Voglio andare alla .... di compleanno di Giorgio.

4 Non andiamo mai in .... perché leggiamo i libri sull'e-reader.

5 Siete andati al .... di musica classica al Conservatorio?

6 Non te lo posso dire. È un ....

Grammatica

Le preposizioni semplici: *in/di/a*

Esempi dal libro:

IN → **In** una casa, **in** classe.

DI → Parla **di** feste e **di** musica.

A → Marco non è molto bravo **a** scuola.

In, di, a sono preposizioni semplici che si usano in casi diversi.
Qui indichiamo le più importanti:

In indica:

- luogo
  *Vivono **in** campagna.*
- tempo
  ***In** autunno piove spesso.*
- mezzo
  *Veniamo **in** macchina.*
- modo
  *State **in** silenzio, per favore!*

Di indica:

- possesso
  *È la borsa **di** Giulia.*
- tempo
  ***Di** mattina c'è spesso il sole.*
- argomento
  *Parlano sempre **di** scuola.*
- età
  *È un ragazzo **di** dodici anni.*

A indica:

- il complemento di termine
  *Diamo un dolce **a** Fabio.*
- luogo
  *Andiamo **a** Londra.*
- mezzo e modo
  *Andiamo **a** piedi.*
- tempo
  ***A** Natale festeggiamo a casa.*

8 Inserisci *in*, *di*, oppure *a*.

1 Preferisco viaggiare .... aereo.
2 Questo fine settimana restiamo .... casa.
3 Questa è la macchina .... Giorgio?
4 È un giovane .... vent'anni.
5 Mi piacciono i romanzi .... amore.
6 Abitano .... Sardegna, io invece abito .... Toscana.
7 Mi piace vivere .... famiglia.
8 .... sera esco spesso con i miei amici.
9 Riesci a fare il lavoro .... dieci minuti?
10 Fate .... fretta per favore!
11 Paolo viene .... treno.
12 Quando andate .... Roma?
13 Il nostro anniversario è nel mese .... novembre.
14 Discutiamo sempre .... politica.

9 Abbina le due colonne per completare le frasi.

1 Valeria abita	a	☐	professori.
2 Valeria parla piano	b	☐	in una casa sulla scogliera.
3 Dicono che la madre	c	☐	nella sala di lettura della biblioteca.
4 Marco e Valeria si incontrano	d	☐	quando è in classe.
5 Marco parla e scherza sui	e	☐	di Valeria è una strega.

10 Scegli l'alternativa corretta.

1 *In/Nell'*estate andiamo *in/a* vacanza.
2 Andiamo spesso *di/in* macchina.
3 *Di/A* Pasqua non andiamo mai *al/in* mare.
4 *In/Di* pomeriggio a volte restiamo *in/a* scuola.

Uno scorcio di Piazza Unità d'Italia a Trieste

Il Friuli Venezia Giulia: *una regione di confine*

Il Friuli Venezia Giulia è una regione che si trova nella parte orientale (ad est) della penisola italiana. Essa confina con la regione italiana del Veneto, con l'Austria e la Slovenia. È formata dal Friuli, che è la regione storica, e dalla Venezia Giulia, la parte più orientale. Questa zona occupa soltanto una piccola parte (il 4%) della regione, quella che è rimasta all'Italia dopo la Seconda Guerra Mondiale. Prima di allora era parte del territorio slavo.

Le lingue

In Friuli Venezia Giulia si parla l'italiano, che è la lingua ufficiale, ma non solo. Poiché è una regione che confina con altri stati, è diffuso anche l'uso del tedesco e dello sloveno.

Città con tradizioni che arrivano da lontano: Udine e Gorizia

La regione ha quattro province: Trieste, che è anche capoluogo di regione, Pordenone, Gorizia, Udine.
Il Friuli Venezia Giulia è una regione che nel corso dei secoli ha avuto numerosi influssi culturali, soprattutto dell'area orientale dell'Europa, ma non solo. In Friuli sono comparsi i Celti, i Longobardi, nel corso del Medioevo i Veneziani, per non dimenticare la ricchissima cultura mitteleuropea. La città che maggiormente ha assorbito gli influssi veneziani è Pordenone.
Trieste è stata fino al 1918 territorio austriaco, nel centro di Udine si ammirano piazze e architetture che ricordano la tradizione austriaca. Gorizia confina direttamente con la Slovenia e in città si respira l'atmosfera tipica di una città di confine. Una particolarità della città è la Piazza Transalpina, che appartiene in parte all'Italia e in parte alla Slovenia. Fino al 2004 era divisa da un muro, mentre ora si può liberamente passeggiare e ci si può confondere in modo gradevole con due paesi diversi.

Trieste: dove l'Italia finisce davanti al mare

La storia che stai leggendo è ambientata a Trieste. La città si affaccia sul mare Adriatico. Nel cuore di Trieste si trova piazza Unità d'Italia e il Palazzo del Governo, il colle di San Giusto con il suo il castello e la cattedrale, simbolo

Il Castello di Miramare

Un luogo che unisce due popoli: la piazza Transalpina di Gorizia

della città. Molto belli ed eleganti sono inoltre i palazzi che si possono ammirare nel centro della città. Un gioiello dell'architettura in questa zona è il Castello di Miramare, a circa 8 km da Trieste. Esso è situato in posizione panoramica sulla punta del promontorio di Grignano nel golfo di Trieste. Verso la metà dell'Ottocento l'arciduca Ferdinando Massimiliano d'Asburgo lo fa costruire per abitarvi insieme alla moglie Carlotta del Belgio. È una dimora molto bella e lussuosa. Qui si possono ammirare ancora oggi gli arredi originari e la sala del trono recentemente ristrutturata.

Una cucina che parla tante lingue

Come abbiamo accennato, il Friuli Venezia Giulia ha conosciuto la presenza di tante influenze straniere. Tutti hanno lasciato una forte impronta, soprattutto gli austriaci. Questo si può notare soprattutto nella cucina: i crauti sono presenti in diversi piatti e lo *strucco* è la tipica torta di mele austriaca.

Più che Trieste è forse Gorizia che rappresenta il vero melting pot della regione. Infatti qui si incrociano tre culture europee: quella italiana, quella slava e quella austriaca. Le specialità culinarie della regione ne sono un chiaro segno. Ci sono la *jota* (minestra di crauti, patate, fagioli), lo *stinco de vedèl* (stinco di vitello al forno), gli *scampi alla busara* o la *calandraca* (assomiglia al goulasch ungherese). Tra i contorni, citiamo i *bruscandoli* (asparagi selvatici, con cui si fa la frittata), i *capuzi* (crauti) e le *patate in tecia* (in tegame).

I dolci sono per lo più di tradizione austriaca e slovena: il *prèsnitz* (pasta sfoglia ripiena di frutta secca) e la *putìzza* (pasta morbida e frutta secca), lo *strùcolo de pomi* (strudel alle mele), il *krapfen* (bombolone fritto e farcito con marmellata o crema) e altri ancora.

Comprensione

1 Completa questa tabella riguardo alla regione.

Posizione	
Confini	
Composizione	
Lingue parlate	
Città principali	

2 Rispondi alle seguenti domande.

1 Quali sono stati gli influssi stranieri su questa regione?
2 Vicino a quale confine si trova Udine?
3 Qual è la particolarità di Gorizia?
4 Quale popolo ha lasciato più di ogni altro una forte impronta sul Friuli Venezia Giulia?
5 Quale città mescola più influssi in Friuli Venezia Giulia?
6 Quante lingue si parlano nella regione?
7 Che cos'è la calandraca?
8 A che cosa assomiglia?
9 Scrivi almeno due piatti tipici della regione che riportano influssi stranieri.

3 Indica quali di queste affermazioni riguardo a Trieste sono vere (V) e quali false (F).

		V	F
1	Trieste si trova sul mare Adriatico.	☐	☐
2	Il simbolo di Trieste è la piazza Unità d'Italia.	☐	☐
3	I palazzi del centro sono di stile barocco.	☐	☐
4	Il Castello Miramare si trova nel cuore della città.	☐	☐
5	Un principe italiano lo ha fatto costruire.	☐	☐

4 Indica l'alternativa corretta.

1 Gorizia si trova:
- **a** ☐ al confine con l'Austria
- **b** ☐ al confine con la Slovenia
- **c** ☐ al confine con la Lombardia

2 Tra i molti influssi stranieri della regione vi sono:
- **a** ☐ Romani
- **b** ☐ Galli
- **c** ☐ Longobardi

3 La lingua ufficiale della regione è:
- **a** ☐ il tedesco
- **b** ☐ l'italiano
- **c** ☐ lo sloveno

4 La provincia che ha più assorbito gli influssi veneziani è:
- **a** ☐ Trieste
- **b** ☐ Pordenone
- **c** ☐ Gorizia
- **d** ☐ Udine

CAPITOLO **2**

Nasce un'amicizia

Da quel giorno Valeria e Marco diventano amici.

Passano insieme l'intervallo e spesso Marco l'accompagna a casa dopo la scuola.

All inizio Valeria parla poco e ascolta; è contenta perché lui le racconta tante cose della sua vita e dei suoi amici.

Poi, a poco a poco, come per magia, anche lei comincia a parlare di se stessa.

Gli racconta di quello che pensa e che sente come non ha mai fatto con nessuno nella sua vita, neppure con sua madre.

A lei vuole bene e cerca di starle vicina perché sa che è molto sola, ma capisce che vivono in due mondi diversi.

Valeria parla volentieri di libri e di musica. Suona il piano e ama la musica classica.

Marco suona un po' la chitarra e ama il rock. Chiama 'vecchiume'[1] la musica di compositori come Mozart o Beethoven.

I due ragazzi si trovano in armonia, però, nel loro amore per la natura, per il mare, nel loro interesse per le cose del mondo.

Quando è con Marco, Valeria frequenta anche i suoi amici: con loro Valeria non parla molto a causa della sua timidezza, ma le piace trascorrere un po' del suo tempo in compagnia.

È una novità per lei! Anche i professori hanno notato il cambiamento di Valeria e la sua amicizia con Marco e ne sono contenti. Valeria adesso sembra felice.

È passato un mese da quando ha conosciuto Marco e lo considera un grande amico. Anche per lui Valeria è un'amica e anche qualcosa di più: la trova molto bella e affascinante.

Sotto quella timidezza capisce che si nasconde un tesoro di idee e di sentimenti.

Vorrebbe dichiararle il suo interesse, ma aspetta, non capisce se lui a Valeria piace veramente o se semplicemente per lei è un modo di sfuggire[2] all'isolamento.

Presto si presenta l'occasione che Marco aspetta: una festa. Così dice a Valeria:

"Domenica prossima c'è una festa a casa di un mio amico, Stefano."

"Io non vengo" risponde subito Valeria.

1. **vecchiume** : cose vecchie (in senso dispregiativo).
2. **sfuggire** : scappare via, evitare.

"Certo che vieni! In autunno la gente non organizza tante feste. Questa è l'unica fino a marzo" replica Marco.

"Io non sono mai andata ad una festa."

"C'è sempre una prima volta..."

Valeria è preoccupata:

"Sai, la gente non mi parla volentieri... dicono che mio padre ci ha lasciato perché mia madre è una strega e che nella nostra casa succedono cose strane..."

È da tanto tempo che Marco, curioso per natura, ma non superstizioso[3], vorrebbe domandarle qualcosa di più, ma non ne ha mai avuto il coraggio.

"Già, già..." dice "non mi hai mai parlato di questo. Cosa succ..." ma non continua, perché vede che Valeria è inquieta[4] e capisce che è meglio non fare altre domande.

Torna allora sull'argomento 'festa'.

"Non c'è niente di cui preoccuparsi. Le feste sono fatte per divertirsi, per ballare, per mangiare e conoscere gente."

Valeria non è molto convinta. Ha paura degli sguardi della gente, dei commenti fatti a bassa voce e pensa che, timida com'è, rimarrà tutto il tempo in un angolo o alla finestra, come ha sempre fatto in classe. Ma si fida di Marco e spera di essere aiutata.

"Non ho un vestito adatto..." dice lei.

"Ah..." Marco ci pensa un po' e poi esclama:

"Ho un'idea! Puoi andare con Susanna a comperarlo. Lei ti può aiutare a scegliere; sa tutto di vestiti e di feste."

3. **superstizioso** : persona che crede alla magia, ai fenomeni sovrannaturali.
4. **inquieto** : agitato, non tranquillo.

Susanna è un'amica di Marco; si conoscono da quando erano bambini.

È una ragazza allegra, le piacciono i vestiti, le feste e tutti i posti dove si può conoscere gente.

Susanna parla poco con Valeria anche se è sempre molto gentile con lei: Valeria pensa che Susanna sia innamorata di Marco e che sia gelosa di lei, ma Marco insiste così tanto che alla fine accetta.

Il pomeriggio dopo Valeria ha appuntamento con Susanna per fare spese in centro.

Susanna si dimostra molto paziente [5] e l'accompagna in un nuovo centro commerciale pieno di negozi con degli abiti bellissimi.

Susanna li ha già visti tutti:

"Qui sicuramente troviamo quello che cerchiamo!" dice felice.

Valeria ne prova almeno dieci e finalmente, con il consiglio dell'amica, ne sceglie uno, nero, corto ma non troppo, che le sta molto bene.

"Sembri un'attrice" le dice Susanna.

Anche lei compra un vestito per sé; è rosso e molto corto.

Secondo Valeria è troppo appariscente [6], ma a Susanna piace così.

5. **paziente** : che ha pazienza, tranquillo, calmo, comprensivo.
6. **appariscente** : vistoso, che si fa notare molto.

Comprensione

1 Completa la sintesi del capitolo con le parole mancanti.

Marco e Valeria diventano (1) .... e passano insieme tanto (2) ....

Marco parla molto della sua (3) ....

Valeria parla poco all'inizio, poi anche lei comincia a parlare di (4) ....

2 Rispondi alle seguenti domande.

1 Quali sono gli interessi di Valeria?

2 Quali sono gli interessi di Marco?

3 In che cosa si trovano in armonia?

4 Chi frequenta Valeria?

3 Quali di queste affermazioni sono vere (V) e quali false (F)?

		V	F
1	I professori non hanno notato nessun cambiamento in Valeria.		
2	Valeria considera Marco il suo ragazzo.		
3	Marco considera Valeria solo un'amica.		
4	Valeria all'inizio non vuole andare alla festa.		
5	Valeria ha paura della curiosità della gente.		
6	Valeria va a comprare un vestito per la festa con Marco.		
7	Secondo Valeria Susanna è innamorata di Marco.		
8	Susanna e Marco si conoscono da tanto tempo.		
9	Anche Susanna e Valeria si conoscono da tanto tempo.		
10	Susanna è molto gentile con Valeria.		
11	Susanna parla poco con Marco e anche con Valeria.		

4 **Com'è il vestito che sceglie Valeria? E quello di Susanna?**

....

....

CELI 2

5 **Rispondi al seguente questionario.**

Vestiti, occhiali, scarpe, tutto da indossare...

C'è stata l'apertura di un nuovo centro commerciale. Qui si può trovare di tutto: vestiti, borse, occhiali, collane.

All'entrata i commessi ti consegnano questa scheda con 8 domande. Devi rispondere a ogni domanda.

0 Come ha saputo dell'apertura di questo nuovo negozio?
Risposta: *Da un annuncio pubblicitario sul giornale.*
[oppure: *da un amico/un'amica - dalla televisione*]

1 Come definisce il suo stile nel vestirsi? Elegante o sportivo? Ricercato o casual?

....

2 Dove ha comprato l'ultimo vestito?

....

3 Spende tanto per i vestiti e gli accessori?

....

4 Di solito segue la moda nei suoi acquisti? Perché?

....

5 Quali sono i suoi colori preferiti?

....

6 Quali accessori compra di più?

....

7 Quando le piace fare acquisti e con chi?

....

8 Cosa vuole trovare in questo centro acquisti?

....

Produzione orale

6 **Scambia idee e opinioni con un tuo compagno/una tua compagna riguardo agli acquisti.**

Ti piace fare acquisti? Se sì, quando e con chi? Quali sono i tuoi luoghi preferiti per le spese? Che cosa indossi di solito quando vai a scuola/ al lavoro? Che cosa indosseresti a una festa (come quella a cui va Valeria)? Qual è il tuo vestito preferito?

7 **Adesso guarda questi abiti. Descrivili brevemente e decidi quale ti piacerebbe vedere indossato dal tuo /dalla tua partner per un'occasione importante.**

Competenze linguistiche

8 Trova l'intruso.

1 a parlare b raccontare c chiacchierare d ascoltare
2 a novità b amore c interesse d passione
3 a mangiare b bere c dormire d studiare
4 a chitarra b piano c musica d libro
5 a lavorare b vestito c comprare d spendere

9 Collega l'aggettivo con il suo contrario.

1	preoccupato	a	☐	sobrio
2	felice	b	☐	impaziente
3	affascinante	c	☐	sfacciato
4	timido	d	☐	triste
5	curioso	e	☐	sereno
6	paziente	f	☐	scortese
7	appariscente	g	☐	apatico
8	gentile	h	☐	brutto

10 Scegli l'alternativa corretta per rispondere alle seguenti domande.

1 Vuoi venire a una festa domenica prossima?
a ☐ Sabato. b ☐ No, non posso. c ☐ Ho un'idea.

2 Cosa volete fare questo pomeriggio?
a ☐ No, grazie. b ☐ Riposare. c ☐ Dove?

3 Sembri un'attrice. Sei bellissima.
a ☐ Perché no? b ☐ Sì, grazie. c ☐ Grazie.

4 Perché non vai mai al cinema?
a ☐ Sì, è vero. b ☐ Non mi piace. c ☐ Vieni anche tu?

5 Come mi sta questo vestito?
a ☐ Sì, grazie. b ☐ Prendine uno! c ☐ Molto bene.

CAPITOLO **3**

La festa

4

La festa è sabato sera. Comincia alle otto e ognuno porta qualcosa da mangiare o da bere. Marco, Susanna e Fabio, il migliore amico di Marco, vanno a prendere Valeria in macchina.

Lei ha pensato tutto il giorno solo alla festa. Ha preparato una torta da portare e si è truccata[1] labbra e occhi. Sua madre ha detto: "Sei più bella al naturale", ma lei non ci ha badato[2].

Per una volta in vita sua ha deciso di fare come vuole!

La festa è in una casa vicino al mare.

C'è un grande giardino intorno alla casa, ma fa troppo freddo per stare lì, quindi tutti i ragazzi sono nel salone al

1. **truccarsi** : mettersi rossetto, ombretto, ecc.
2. **badare** : fare attenzione, considerare.

pianterreno C'è un grande tavolo con tante cose da mangiare: torte, patatine, biscotti...

Ci sono circa cinquanta ragazzi, alcuni sono compagni di scuola di Valeria. Certi sono eleganti, mentre altri portano i jeans, come Fabio, oppure sono vestiti in modo stravagante. Si conoscono tutti, o almeno così sembra a Valeria, che si siede subito su una poltrona in un angolo.

Ma non si sente sperduta, perché Marco le è sempre accanto.

"Dai, alzati!" dice "Ti voglio presentare un po' di gente..."

E Valeria conosce molti ragazzi e ragazze, così tanti che ne dimentica i nomi; sono tutti molto gentili con lei. Lei balla, mangia, beve e si diverte come mai si è divertita in vita sua.

I ragazzi la ammirano e quando viene il momento dei lenti[3], la invitano a ballare, ma lei balla quasi sempre con Marco.

"Sei bellissima questa sera, tutti ti trovano bellissima..." le dice lui.

Valeria capisce che ciò che è importante per Marco è che anche gli altri, i suoi amici, la trovino attraente; Marco è un 'animale sociale'[4] e per lui l'opinione della gente è molto importante. Per lei non è così, ma non le importa.

Si dice: 'Nessuno è perfetto' e pensa che, per il resto, Marco è un ragazzo meraviglioso.

È molto tardi: sono le due. Marco la riaccompagna a casa. Ci sono anche Fabio, sempre silenzioso, e Susanna che parla sempre. Dice cose come:

"A tutti è piaciuto il mio vestito. Ho fatto bene a comprarlo anche se è costato tanto... Hai visto Alice? Era orrenda con quel

3. **lento** : tipo di ballo, si balla abbracciati.
4. **animale sociale** : persona molto socievole.

vestito corto: deve essere dell'anno scorso... si vede subito che è fuori moda...!"

Sorride spesso a Marco, ma lui guarda sempre Valeria e sorride solo a lei.

Sembra anzi un po' seccato [5] dalle chiacchiere sciocche di Susanna.

Arrivano alla casa di Valeria. È una casa grande e vecchia, dai muri grigi, su una collina. Ci sono tre piani e un largo tetto un po' rotto; il giardino dà un'idea di abbandono perché gli alberi sono secchi e sembrano disegni di bambini tristi. Il mare sotto è tranquillo.

Valeria guarda Marco e Susanna e cerca di capire dalla loro espressione cosa pensano.

Susanna si guarda intorno con timore [6], mentre Marco le sembra indifferente. In quanto a Fabio, canticchia una canzone e sembra non aver neppure realizzato dove si trovano.

Marco si offre di accompagnarla alla porta. Le prende la mano tra le sue e le sorride.

Sulla stradina che porta verso casa le dà un bacio leggero sulle labbra e Valeria si sente felice, così felice da mettersi a ballare e a cantare lì, in quel momento.

Mentre rientra in casa, spera che non succederà niente di strano, ma proprio mentre Marco sta per salire in macchina e lei è già alla porta, si sentono delle grida di un uomo che rimbombano [7] nel silenzio della scogliera.

Lei vede la macchina degli amici allontanarsi molto velocemente.

5. **seccato** : infastidito.
6. **timore** : paura.
7. **rimbombare** : risuonare in modo da sembrare ancora più forte.

Comprensione

1 Rispondi alle seguenti domande.

1 Quando è la festa?
2 A che ora comincia?
3 Chi è Fabio?
4 Dov'è la festa?
5 Quanti ragazzi ci sono?
6 Sono tutti eleganti?
7 Perché Valeria non si sente sperduta?

2 Indica l'alternativa corretta.

1 Valeria conosce molti ragazzi e ragazze
- a ☐ ma sono tutti poco gentili con lei.
- b ☐ e sono tutti molto gentili con lei.

2 Valeria
- a ☐ si diverte molto.
- b ☐ non si diverte per niente.

3 Valeria balla quasi sempre
- a ☐ con Marco.
- b ☐ con altri ragazzi.

4 Per Marco è molto importante
- a ☐ piacere alla gente.
- b ☐ stare bene con se stesso.

5 Marco accompagna Valeria a casa
- a ☐ a mezzanotte.
- b ☐ alle due di notte.

6 Marco e Valeria
- a ☐ sono soli.
- b ☐ sono con Susanna e Fabio.

7 Marco bacia Valeria
- a ☐ in macchina.
- b ☐ davanti a casa.

Competenze linguistiche

3 La casa di Valeria è descritta dettagliatamente a pagina 30. Descrivi queste case usando i seguenti vocaboli:

grande piccola vecchia-antica moderna
rosso verde giardino tetto

A

....

....

....

B

....

....

....

C

....

....

....

D

....

....

....

4 **Alla festa ci sono delle cose da mangiare: torte, patatine, biscotti. Conosci torte e dolci italiani? Abbina la descrizione, il nome del dolce e l'immagine.**

crostata   tiramisù   babà   cannoli   pastiera   cassata siciliana

- ☐ La vedete bianca, perché è glassata (coperta) di zucchero. È una torta (siciliana) a base di ricotta zuccherata, pan di spagna e frutta candida.
- ☐ È una torta, tipica di Napoli, fatta di ricotta dolce, un tipo di formaggio.
- ☐ Una delle specialità della cucina siciliana, è un pasticcino fatto di pasta e ripieno di ricotta zuccherata.
- ☐ Anche questo è un pasticcino, tipico della cucina napoletana, può essere ripieno di panna o di cacao.
- ☐ È fatta con la pasta frolla e la marmellata.
- ☐ Forse il dolce italiano più famoso al mondo, è fatto di biscotti (savoiardi) immersi nel caffè con una copertura di cacao.

Grammatica

I verbi riflessivi

- *Valeria* ***si*** *siede su una poltrona in un angolo, ma non* ***si*** *sente sperduta.*
- *Marco* ***si*** *offre di accompagnare Valeria a casa.*

Io **mi** siedo	Noi **ci** sediamo
Tu **ti** siedi	Voi **vi** sedete
Lui/lei **si** siede	Loro **si** siedono

"Sedersi" è un verbo riflessivo.

L'infinito di questi verbi si forma aggiungendo il pronome riflessivo -**si** al posto della terminazione -**e**. Es. *offrire* → *offrir***si**.

5 Completa queste frasi con i verbi riflessivi forniti tra parentesi.

I miei due amici (**1** *chiamarsi*) .... Luciano e Matteo. Sono molto simpatici ma anche molto diversi. Luciano è un tipo tranquillo. (**2** *addormentarsi*) .... presto di sera e (**3** *alzarsi*) .... tardi di mattina. Gi piace dormire. Anche di pomeriggio a volte va a letto. Dice che vuole (**4** *riposarsi*) .... ma tutti sanno che va a dormire. Matteo invece dorme poco. È un maniaco della pulizia. Infatti (**5** *lavarsi*) .... sempre le mani (**6** *farsi la doccia*) .... tre volte al giorno. Quando (**7** *arrabbiarsi*) .... grida come un matto!

6 Completa il testo della mail.

Ciao Davide come stai?
Io sto bene, ma mia mamma purtroppo (**1** *non sentirsi*) .... molto bene. Perciò forse domani torniamo. E comunque io non (**2** *divertirsi*) .... molto perché qui non conosco nessuno.
Insomma spesso (**3** *annoiarsi*) ....
E tu come stai? (**4** *Trovarsi*) .... bene a Brighton?
(**5** *Divertirsi*) .... ?
Un caro saluto
Lorena

Amore e mistero

Da *Rebecca la prima moglie* a *Jane Eyre*. Grandi storie d'amore intrecciate a fitti misteri e ricche di colpi di scena.

La casa sulla scogliera è un racconto che presenta nella trama elementi thriller con motivi di carattere romantico-sentimentale. Il thriller è rappresentato dal mistero di una "*presenza*" nella casa, che si manifesta con "*strani rumori e grida*". Tanto che fa pensare a una casa infestata da spiriti e fantasmi...
L'aspetto romantico è invece rappresentato dal rapporto che si crea fra i diversi personaggi della storia.

I film di cui vogliamo parlare presentano un intreccio basato sulla stessa combinazione di elementi.

Una donna innamorata, una casa piena di misteri e un uomo tenebroso; questi gli elementi di un film famosissimo di un regista altrettanto famoso: Alfred Hitchcock. Nel suo film del 1940 *Rebecca la prima moglie* (tratto dal romanzo di Daphne de Maurier e vincitore di due premi Oscar) c'è anche la scogliera, uno degli elementi da brivido di questo film thriller pieno di tensione e di colpi di scena, in cui l'elemento psicologico gioca un ruolo essenziale.

Nel romanzo inglese *Jane Eyre* (1847) di Charlotte Bronte si narra invece la storia di una giovane (la Jane Eyre del titolo) che si innamora di Mr Rochester, un misterioso lord che vive in un altrettanto misterioso castello. Il suo amore viene ricambiato ma, proprio quando i due stanno per sposarsi, il mistero del castello viene svelato: una pazza vive nella soffitta, sorvegliata dal personale del castello. Questa donna è la moglie di Mr Rochester. I due innamorati quindi non possono sposarsi, potranno coronare il loro sogno soltanto dopo la morte dell'"altra donna".

Una giovane innamorata, un mistero celato in un cupo castello, un uomo misterioso... questi gli elementi che hanno reso famosi diversi film ispirati a questo romanzo. Dal primo *Jane Eyre* di Theodore Marston del 1910 al classico *La porta proibita* del 1944 con il famosissimo attore inglese Orson Wells fino agli ultimi *Jane Eyre*, uno del 1996 del regista italiano Franco Zeffirelli con William Hurt e Charlotte Gainsburg e il più recente *Jane Eyre* del 2011. Regista: Cary Joji Fukunaga con Mia Wasikowska e Michael Fassbender.

1 Quale di queste locandine delle diverse versioni di Jane Eyre, secondo te, trasmette meglio l'atmosfera della storia?

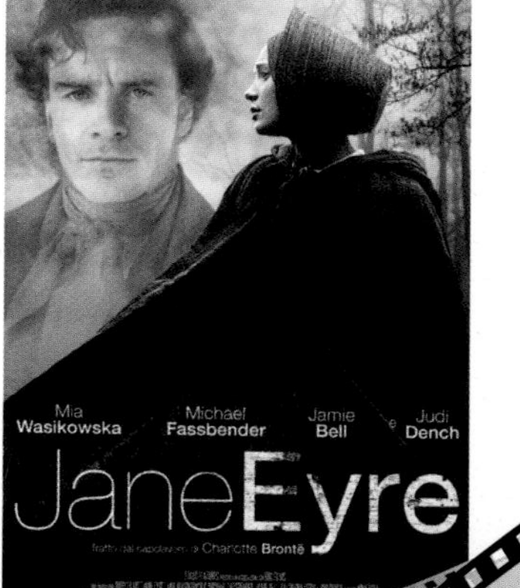

CAPITOLO **4**

Marco

Il giorno dopo Valeria è ancora agitata. Ha sognato Marco tutta la notte. Si domanda: "Mi telefonerà domani, ci vedremo ancora, gli piaccio come lui piace a me? Forse dopo aver sentito quel grido nella mia casa, non vuole più vedermi, forse ha paura della mia famiglia come tutti."

Domande e domande a cui Valeria non trova risposta. Tutto il giorno guarda il telefono, gli parla e gli dice:

"Suona, suona... ti prego..." e il telefono infine suona. Sono le cinque in punto ed è Marco.

Le domanda: "Sei libera questa sera?"

Lei risponde: "Sì, sono libera, ma non posso tornare tardi, perché non voglio lasciare mia madre sola anche questa sera..."

"Per me non è un problema, andiamo a bere qualcosa al Vip.

Tra venti minuti sono da te" risponde Marco.

Il Vip è un locale sulla spiaggia con i tavolini e le sedie di legno. È semplice ma simpatico. Marco e Valeria parlano tanto, quasi ininterrottamente [1]. Ma alle sette Valeria deve tornare a casa; sua madre l'aspetta per la cena."Sai, non è abituata... Non sono mai uscita prima con dei ragazzi." Valeria è imbarazzata [2] quando parla di sua madre: conosce ciò che si dice su di lei! Ma a Marco non interessa sua madre; parla ancora di lei e... di loro.

Nei giorni successivi Valeria pensa soltanto a Marco; escono quasi ogni pomeriggio insieme. Si vogliono vedere almeno per un'oretta, per fare una passeggiata sul lungomare, o per bere la solita cioccolata nel loro bar preferito e il sabato, il sabato che per Valeria è sempre stato un giorno noioso che passava tutta sola a casa, è diventato adesso il più bello perché esce con lui. Vanno insieme al cinema o in un bar o in pizzeria e trascorrono ore preziose.

È la prima volta che Valeria frequenta un ragazzo e si sente molto felice. Per Marco invece non è la prima volta; è già uscito con molte ragazze nella sua vita. È un bel ragazzo, gli occhi grandi e azzurri piacciono a tante ragazze; è alto e quando sorride sembra un attore.

Marco non aveva mai incontrato prima una ragazza come Valeria, così semplice, dolce e intelligente. Si sente innamorato di lei come non lo è mai stato di nessun'altra.

Il cinque febbraio è il compleanno di Valeria. Marco vorrebbe fare una festa: a lui piace stare con tanta gente.

È diverso da Valeria che invece preferisce uscire in due o al massimo con un paio di amici. In effetti Valeria e Marco sono molto diversi e Valeria non può fare a meno di notarlo, mentre

1. **ininterrottamente** : senza smettere mai.
2. **imbarazzato** : a disagio, che non sa cosa dire.

Marco è troppo innamorato per accorgersi di qualcosa. Marco per esempio parla sempre di macchine e di calcio; ama i posti affollati.

Valeria passa molto tempo nelle biblioteche, va volentieri nei musei, il suo tempo libero lo dedica alla musica, a suonare il piano, le piacciono le spiagge deserte e non le dispiace stare sola, forse perché non si annoia mai. Per il compleanno Marco le propone un'uscita in compagnia, magari in un ristorante cinese. "Possiamo invitare dieci, quindici persone!" dice Marco.

"No" ribatte Valeria, decisa "è il mio compleanno e voglio festeggiarlo a modo mio! Voglio uscire sola con te, o forse con un'altra coppia." Marco è un po' deluso ma non lo dà a vedere: "Possiamo invitare Fabio con Susanna" propone.

"Fabio e Susanna?" domanda lei, sorpresa "Ma non vanno d'accordo... Susanna parla solo di vestiti e di telenovele e Fabio..."

"Fabio non parla di niente!" commenta Marco ridendo.

"Beh... è un tipo proprio strano...!"

"È molto intelligente... un vero intellettuale[3]... Un po' come te, forse..."

"Non lo so... non ho mai parlato con lui."

In effetti Fabio è un ragazzo molto particolare: taciturno[4], solitario, frequenta soltanto Marco e poco anche lui. Valeria lo vede spesso in biblioteca mentre legge libroni di filosofia e di scienze.

"Vedrai... ci divertiremo!" dice Marco "E poi a Susanna piace Fabio. Dice sempre che è un bel tipo..."

"È vero! Assomiglia un po' a Dylan Dog[5], con i capelli scuri e sempre spettinati[6], e quell'aria misteriosa..." conclude Valeria.

3. **intellettuale** : persona che ha interessi culturali, che si dedica agli studi.
4. **taciturno** : che parla poco.
5. **Dylan Dog** : personaggio di un famoso fumetto.
6. **spettinato** : con i capelli in disordine.

Comprensione

1 Indica l'alternativa corretta.

1 Valeria ha paura che Marco non la chiami perché
- a ☐ il giorno della festa è stata poco gentile con lui.
- b ☐ la sera, quando l'ha riaccompagnata a casa, è successo qualcosa di strano.
- c ☐ ha capito che non gli piace.

2 Alle cinque Marco la chiama. Cosa le chiede?
- a ☐ Cosa è successo il giorno prima.
- b ☐ Cosa pensa di lui.
- c ☐ Se è libera la sera.

3 Dove vanno Marco e Valeria?
- a ☐ Al ristorante
- b ☐ Al cinema
- c ☐ In un bar

4 Valeria è imbarazzata quando parla di
- a ☐ sua madre.
- b ☐ se stessa.
- c ☐ lei e Marco.

5 Nei giorni successivi Marco e Valeria
- a ☐ non si vedono spesso.
- b ☐ si vedono solo a scuola.
- c ☐ si vedono quasi ogni pomeriggio.

6 Il giorno più bello per Valeria è diventato
- a ☐ il sabato.
- b ☐ la domenica.
- c ☐ il lunedì.

7 Marco è
- a ☐ il primo
- b ☐ il secondo   ragazzo nella vita di Valeria.
- c ☐ il terzo

2 **Rispondi adesso alle seguenti domande riguardo alla seconda parte del capitolo.**

1 Quando è il compleanno di Valeria?
2 Cosa vorrebbe fare Marco?
3 Cosa decide di fare infine Valeria?
4 Perché Marco è deluso?
5 Marco dice a Valeria che è deluso?

3 **Marco e Valeria sono molto diversi. Sotto quali aspetti? Completa.**

1 Marco parla sempre di .... e di ....
Gli piacciono i posti .... e gli piace fare ....
2 Valeria invece non va mai nei ....
Le piacciono le .... e i ....
Dedica molto tempo alla ....

4 **Quali sensazioni prova Valeria nei confronti di sua madre?**

....

5 **Fabio non va d'accordo con Susanna. Perché?**

....

6 **Invece Marco dice che Valeria e Fabio si assomigliano. Sotto quali aspetti?**

....

7 **Quante persone Marco vuole invitare alla festa?**

....

Competenze linguistiche

8 Completa questa conversazione mettendo nel giusto ordine le frasi a-h.

0 Ciao. ....

Ciao.

1 ....

Bene, e tu?

2 ....

No, mi dispiace, questa sera no.

3 ....

Domani c'è la festa di Serena. Non vai?

4 ....

Ah, mi dispiace.

5 ....

Sabato sera va benissimo. Cosa facciamo?

6 ....

Vada per la pizza. Io adoro la pizza.

7 ....

a ☐ Non mi ha invitato.
b ☐ Benissimo. A sabato allora.
c ☐ Cosa ne dici di una pizza? O preferisci andare al cinema?
d ☐ Possiamo uscire al fine settimana, se hai tempo.
e ☐ E domani?
f ☐ Come stai?
g [0] Ciao.
h ☐ Sei libera questa sera?

9 **Completa questo brano sulle occupazioni di diversi ragazzi utilizzando correttamente i verbi dati.**

navigare **suonare** **guardare la televisione** **giocare a calcio** **leggere** **passeggiare** **giocare ai videogames** **chattare**

1 A Maria piace .... in centro di sabato.
2 A Giorgio invece piace stare a casa .... con gli amici.
3 Susanna ha un particolare interesse per i libri. .... molto soprattutto thriller. Ama anche .... il pianoforte.
4 Veronica è sempre sul web. .... su internet alla ricerca di informazioni di vario genere e .... con gli amici.
5 A Mario piace ....: i reality shows sono la sua passione.
6 Fabio è il più sportivo di tutti. Lui .... , va in bicicletta e corre. Gli piace molto stare all'aria aperta!

10 **Questi sono alcuni dei luoghi frequentati dai giovani nel loro tempo libero. Scrivi il nome sotto ogni immagine.**

discoteca **ristorante** **stadio** **cinema** **teatro** **sala giochi**

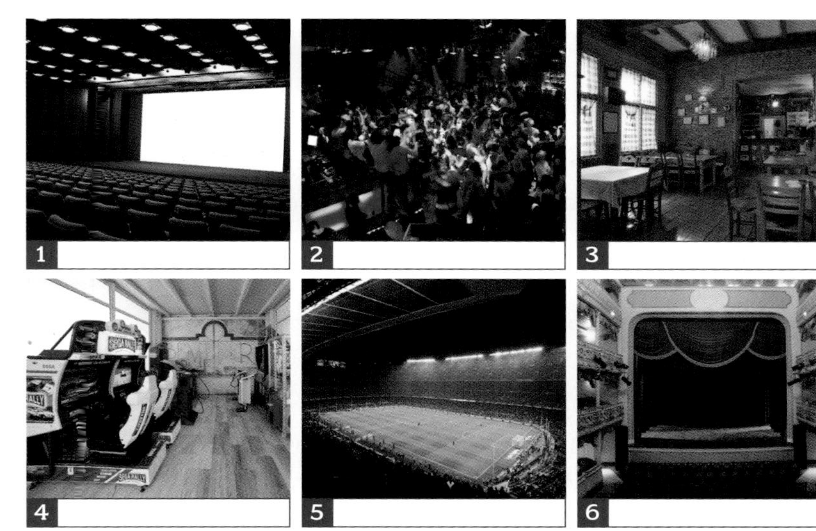

CAPITOLO **5**

Il compleanno

Quando Marco, Valeria, Susanna e Fabio si incontrano davanti al Vip sul lungomare, Valeria propone una cosa che nessuno di loro si aspettava: "Possiamo andare a casa mia... mia madre oggi non c'è; è andata per il fine settimana a trovare una sua amica a Trieste."

Fabio è, stranamente, il primo a rispondere: "Sì," dice "è un'ottima idea..." Anche Marco è d'accordo.

Susanna non vuole andare, ma sta zitta e segue gli altri.

In macchina si arriva in dieci minuti alla casa di Valeria. I tre ragazzi entrano e ciò che vedono li sorprende: la casa di Valeria è bella, come non se lo erano aspettati. Valeria è un po' nervosa; vuole mostrare agli amici che la sua casa e la sua vita sono assolutamente normali.

“Ho cucinato delle cose semplici” dice “Spero che vi piacciano: una pasta con il pesto[1] e pizza...”

La sala è grandissima; al centro c’è la tavola grande e rotonda, già apparecchiata[2], su una parete sono appesi quadri con paesaggi di mare e l’altra parete è occupata da scaffali pieni di libri. La maggior parte sono vecchi e sembrano preziosi. Fabio si mette subito a guardarli, ma viene richiamato da Marco:

“Fabio, vieni a mangiare!”

Cominciano a mangiare e parlano; stranamente sono Valeria e Fabio a parlare più degli altri. Fabio fa tante domande sui quadri e sui libri. Entrambi[3] hanno gli stessi interessi: la lettura, la musica classica, l’arte. Così verso la fine della cena, quando si mangia il gelato, la disposizione[4] delle coppie è cambiata: da una parte Valeria e Fabio, dall’altra Susanna e Marco. Susanna sembra molto allegra.

L’atmosfera è bella e rilassata. Valeria ha messo una musica di Chopin, dolce e romantica. Soltanto Marco non sembra molto sereno: continua a guardare Valeria, che parla con Fabio, ma lei, tutta presa[5] dalla conversazione, non se ne accorge. Marco è un po’ geloso, ma non vuole dire niente adesso per non rovinare la serata. Improvvisamente un urlo risuona per la casa: è un urlo di uomo, terribile; i ragazzi sono spaventati.

“Cosa succede?” domanda Fabio, cercando di rendere la voce più normale possibile.

“Mi dispiace... Mi dispiace...” dice Valeria. Corre su per le scale, e di nuovo si sente l’urlo, ancora più forte, che sembra scuotere la casa.

“Io me ne vado” dice Susanna “Ho troppa paura... Marco mi accompagni?” Marco è un po’ esitante. Ma ancora si sente l’urlo

1. **pasta al pesto** : specialità della cucina ligure a base di basilico, aglio, olio, pinoli e formaggio pecorino.
2. **apparecchiare** : preparare la tavola.
3. **entrambi** : tutti e due.
4. **disposizione** : ordine.
5. **presa** : (qui) interessata, coinvolta.

proveniente dal piano superiore.

Allora dice: "Sì, vengo... vengo con te... Tu cosa fai Fabio?"

Fabio è seduto, sembra tranquillo. Risponde: "No, io rimango qui ancora un po'..."

Marco se ne va con Susanna e Fabio sale le scale che portano al piano superiore. Cerca Valeria e domanda: "Valeria... Valeria... dove sei? Stai bene?" È tutto buio nel corridoio e Fabio sobbalza quando Valeria esce improvvisamente da una camera.

"Cosa fai qui...? Siete... sono ancora qui?" chiede.

"No, gli altri sono andati via..." risponde Fabio.

"Vai via anche tu!" dice Valeria. Valeria sta per piangere.

"No, voglio aiutarti... dimmi cosa succede..." dice Fabio.

"Non posso, ti prego, vattene!" risponde Valeria.

Nella camera c'è qualcuno che ride di un riso inquietante [6], sembra il riso di un pazzo, di quelli che si sentono nei film dell'orrore; ma Fabio non è tipo da lasciarsi impressionare [7]:

"Chi c'è lì?" chiede Fabio. "Non te lo posso dire... non insistere. Fabio ti prego... vai via!" replica Valeria. I due ragazzi sono in piedi davanti alla stanza in penombra [8] in un corridoio buio, quando si affaccia alla porta un uomo: è alto, in testa porta un berretto da marinaio, le mani sono lunghe e vecchie. Si rivolge a Fabio con una voce calma e profonda:

"Ci sono io qui, ragazzo..."

"Papà" dice Valeria "vieni... vieni... torna a letto..."

"Chi è?" domanda il padre.

"È un mio amico... vai a letto... dai..." risponde Valeria.

Lo accompagna in camera:

"Buonanotte, se hai bisogno di qualcosa, chiamami!"

6. **inquietante** : che fa paura.
7. **impressionare** : (qui) spaventare.
8. **penombra** : quasi buio.

Comprensione

1 Indica quali di queste frasi sono vere (V) e quali false (F).

		V	F
1	Valeria propone di festeggiare il proprio compleanno a casa sua.	☐	☐
2	Susanna non vorrebbe andare, ma non dice niente.	☐	☐
3	La casa di Valeria è brutta e disordinata.	☐	☐
4	Valeria è assolutamente tranquilla.	☐	☐
5	Valeria ha cucinato per i suoi amici.	☐	☐

2 Descrivi brevemente la sala della casa di Valeria.

3 Rispondi adesso alle seguenti domande.

1 Durante la cena chi parla più degli altri? ....
2 Chi ha gli stessi interessi? ....
3 Chi è molto allegro/a? ....
4 Chi non sembra sereno/a? ....
5 Perché? ....

4 Indica adesso l'alternativa corretta.

1 Da dove viene il grido?
- a ☐ dalla cantina
- b ☐ dalla cucina
- c ☐ dal piano superiore della casa

2 Chi resta con Valeria?
- a ☐ Marco
- b ☐ Susanna
- c ☐ Fabio

3 Cosa fa Valeria?
- a ☐ sale al piano superiore
- b ☐ se ne va con Marco
- c ☐ si mette a piangere

4 Che cosa vuole fare Fabio?
- a ☐ aiutare Valeria
- b ☐ chiamare la polizia
- c ☐ andare via subito

5 Mentre Fabio e Valeria sono nel corridoio, esce un uomo dalla stanza. Chi è?
- a ☐ un amico della madre di Valeria
- b ☐ il padre di Valeria
- c ☐ lo zio di Valeria

Competenze linguistiche

5 Scrivi le parole corrispondenti alle definizioni date.

1 Si può leggere: L _ _ _ _

2 Un altro nome in italiano per questo oggetto è "calcolatore": C _ _ _ _ _ _ _

3 In genere sta appeso alla parete: Q _ _ _ _ _

4 Si usa per coprire: C _ _ _ _ _ _

5 Si mangia: cibo

6 Si indossa: V _ _ _ _ _ _

6 Adesso inserisci i nomi in queste frasi.

1 Non mangiare quel .... , forse è andato a male.

2 Questo è un bel .... Lo ha dipinto un pittore famoso.

3 Dammi la .... : ho freddo.

4 Vorrei leggere un bel .... !

5 Marilena compra sempre .... costosi e spesso griffati.

6 Per la promozione ho ricevuto un bellissimo .... nuovo!

7 Scegli tra le alternative a e b il sinonimo per ogni parola data.

1	Camera	a ☐	cambio	b ☐	stanza
2	Pazzo	a ☐	moribondo	b ☐	matto
3	Berretto	a ☐	copricapo	b ☐	barattolo
4	Urlo	a ☐	gruccia	b ☐	grido
5	Spaventato	a ☐	impaurito	b ☐	spezzato
6	Conversazione	a ☐	dialogo	b ☐	concezione
7	Succedere	a ☐	accadere	b ☐	seguire

Grammatica

CELI 2

8 Completare le frasi con i pronomi opportuni.

0 Fabio chiede a Valeria: "Hai letto questi libri?"
"Sì .....li..... ho letti quasi tutti."

1 Ti piace questa musica? Sì, ... piace molto.

2 I ragazzi vedono in casa qualcosa che .... sorprende.

3 Valeria ha cucinato cose semplici. "Spero che .... piacciano" dice ai suoi amici.

4 Tutti mangiano il gelato, ma Susanna non .... mangia.

5 Susanna vuole andarsene. Chiede a Marco: "............ accompagni a casa, per favore"?

6 Fabio dice a Valeria che vuole aiutar............ .

7 Fabio insiste per sapere cosa succede, ma lei non glie............ vuole dire.

CAPITOLO **6**

Il mistero è svelato

7

Valeria e Fabio tornano in salotto.

"Dunque quello è tuo padre..." dice Fabio.

"Sì..." risponde Valeria.

"E perché lo tenete qui, rinchiuso?" domanda Fabio.

"È una lunga storia... forse ne conosci una parte... La gente di qui ha raccontato tante storie sulla mia famiglia, su mia madre e su questa casa..." dice Valeria.

"No, io non parlo molto e non ascolto la gente... Raccontami..." dice ancora Fabio.

E Valeria comincia a raccontare quella che sembra una bella favola [1] all'inizio, ma che diventa una storia triste alla fine.

"Mia madre e mio padre si sono conosciuti in Germania,

1. **favola** : racconto con elementi magici.

ad Amburgo, tanto tempo fa; mia madre, lo sai, è tedesca e mio padre era capitano di una nave che viaggiava per tutto il mondo e che spesso approdava[2] al porto di Amburgo.

Io sono nata in quella città; siamo venuti ad abitare qui in Italia quando avevo dieci anni perché mio padre ha ereditato da una zia questa casa e altri appartamenti in città. Ma a mia madre piaceva questa perché era romantica e in mezzo alla natura. Sette anni fa mio padre era in viaggio verso la Polinesia, un viaggio molto, molto lungo; durante questo viaggio la nave ha fatto naufragio[3] e lui è stato l'unico a salvarsi. Quando lo hanno riportato in Europa era cambiato, non era più lo stesso...

I medici hanno detto che non ragionava più e che per questo doveva stare in una clinica psichiatrica. Mia madre è andata tante volte a trovarlo e diceva che quel posto era terribile, che mio padre non era così malato... Così ha deciso di portarlo qui, a casa.

Ma questo deve rimanere un segreto... Temiamo che lo portino via. Mio padre di notte ha paura e grida, ma non fa del male a nessuno... non vuole rimanere da solo, rivive la terribile esperienza, come allora. Mia madre ha cercato di curarlo... con tanto amore e tanta pazienza... ha ottenuto dei buoni risultati... Di giorno lui è normale... disegna e scrive e alcuni dei suoi disegni li vendiamo ad una casa editrice."

"Ma queste cose sonc da tenere segrete... Marco" dice la madre che è entrata in quel momento.

"Ciao, mamma" dice Valeria e la voce le trema (ha paura della reazione della madre, perché ha rivelato il loro segreto!) "lui non è Marco; è Fabio..."

La madre è sorpresa ma non dice niente.

2. **approdare** : arrivare, entrare in porto, a riva.
3. **fare naufragio** : quando una nave affonda.

Fabio l'aveva vista sempre di sfuggita[4] e per la prima volta nota la sua non comune bellezza. Ha gli occhi chiari e i capelli biondi e più che una strega sembra una fata. Fabio pensa: "Chissà quanto deve essere costato ad una donna così bella restare per anni con un mezzo pazzo..."

Sembra leggergli nella mente[5] e gli dice:

"Io amo mio marito, lo amo ancora e nonostante tutto..."

Fabio torna a casa e assicura che non dirà niente a nessuno:

"Potete fidarvi di me... nessuno saprà niente."

Quando sono sole Valeria e sua madre rimangono a parlare ancora a lungo; la mamma non è arrabbiata come Valeria pensava:

"Capisco che per te deve essere stato molto difficile mantenere per lungo tempo un così grande segreto..."

Valeria cerca di obiettare[6] qualcosa, ma la mamma dice ancora:

"Io so cosa la gente dice di noi, ma sono sicura che tutto cambierà, che papà guarirà e che saremo presto di nuovo una famiglia..."

Poi le domanda di Marco e Fabio: Valeria parla soprattutto di Marco; anche se è andato via lei lo capisce, non è arrabbiata con lui, ma sente crescere dentro di sé il sentimento più pericoloso per l'amore: l'indifferenza.

"Ma non capisco..." dice la mamma "Perché Fabio è rimasto qui?"

Neanche Valeria riesce a spiegarsi perché Fabio è stato così gentile, e perché soprattutto lei sente di fidarsi ciecamente[7] di lui più di quanto si fidi di Marco.

Sono le tre quando Valeria si addormenta e i suoi sogni sono affollati di volti: sono quelli di Marco, di sua madre, di suo padre e di Susanna, ma sopra ogni altro quello di Fabio.

4. **di sfuggita** : in fretta, velocemente.
5. **leggere nella mente** : intuire, capire.
6. **obiettare** : dire qualcosa in contrario.
7. **ciecamente** : (fig.) totalmente, completamente.

Comprensione

1 Valeria racconta la storia di suo padre. Completa il suo racconto con le parole mancanti.

Il padre e la madre di Valeria si sono conosciuti in (**1**) .... tanto tempo fa. Infatti la madre di Valeria è (**2**) .... Suo padre invece era capitano di una (**3**) .... che viaggiava per tutto il mondo. Valeria stessa è nata ad (**4**) .... Sono andati ad abitare in (**5**) .... quando Valeria aveva dieci anni. A sua madre il posto piaceva molto. Sette anni prima il padre di Valeria è partito per (**6**) .... Durante questo viaggio la nave ha fatto (**7**) .... e lui è stato l'unico che si è salvato. Quando è tornato non era più lo stesso.

2 Indica l'alternativa corretta.

1 Valeria vuole che Fabio
- **a** ☐ non racconti questa storia ai suoi amici
- **b** ☐ racconti questa storia a tutti

2 Valeria ha paura che
- **a** ☐ rinchiudano il padre in una clinica psichiatrica
- **b** ☐ arrestino il padre

3 Il padre di Valeria
- **a** ☐ è pericoloso
- **b** ☐ non è pericoloso

4 La madre di Valeria è
- **a** ☐ sorpresa
- **b** ☐ arrabbiata

5 La madre di Valeria sembra
- **a** ☐ una strega
- **b** ☐ una fata

6 La madre di Valeria
- **a** ☐ ama ancora suo marito
- **b** ☐ non ama più suo marito

7 Fabio dice che
- **a** ☐ non dirà niente a nessuno
- **b** ☐ tornerà presto a trovarle

8 Valeria
- **a** ☐ si fida di Fabio
- **b** ☐ non si fida di Fabio

Grammatica

Il passato prossimo con il verbo ausiliare *essere*

Il passato prossimo di alcuni verbi si forma con

- il verbo *essere* al presente + part. pass. del verbo
- il participio passato deve concordare con il soggetto del verbo

Osserva i seguenti esempi:

- maschile: *Paolo è andat**o**.*
- femminile: *Giorgia è andat**a**.*
- plurale masch.: *Fabio e Marco sono andat**i**.*
- plurale femm.: *Elisa e Susanna sono andat**e**.*

Quando si usa il verbo *essere* e quando il verbo *avere*?

Essere si usa con i verbi che indicano

- movimento: *Siamo partiti per la Francia.*
- stare in un posto: *Marta è stata al mare.*
- cambiamento : *Mi sono svegliato presto.*

Tra i verbi che si costruiscono con l'ausiliare "essere" c'è anche il verbo *essere*.

Esempi: *Paolo è stato a casa ieri.*

La signora Rossi è stata al mare l'anno scorso.

3 Completa le frasi al passato prossimo utilizzando i verbi tra parentesi.

1 Stefania (*essere*) .... malata lunedì e non (*andare*) .... a scuola.

2 "Con chi tu (*uscire*) .... Domenica, Giulia?" "Io (*uscire*) .... con Carlo."

3 Noi non (*salire*) .... in ascensore perché era rotto.

4 Quando (*arrivare*) .... i tuoi amici?

5 Ieri (*tornare*) .... le mie zie dalla Sicilia.

6 Mi (*piacere*) .... molto questo film.

7 Cosa (*succedere*) .... ? (*Succedere*) .... un brutto incidente.

4 **Inserisci al passato prossimo i verbi tra parentesi. Attenzione! Alcuni si costruiscono con il verbo *avere* altri con il verbo *essere*.**

A Veronica (**0** *partire*) ......è partita...... presto domenica. Lei (**1** *andare*) .... a Firenze. Qui (**2** *essere*) .... ospite di un'amica. (**3** *visitare*) .... diversi musei. e le (**4** *piacere*) .... molto. (**5** *Tornare*) .... a casa soltanto ieri. (**6** *Venire*) .... subito a casa mia per raccontare tutto. Io l'(**7** *ascoltare*) .... con interesse.

B Valeria e Marco (**8** *incontrare*) .... i loro amici e (**9** *andare*) .... a casa di Valeria. Qui (**10** *cenare*) .... insieme e (**11** *divertirsi*) .... insieme. Ma a un certo punto (**12** *succedere*) .... una cosa: qualcuno (**13** *gridare*) .... e i ragazzi (**14** *spaventarsi*) .... Marco (**15** *andare*) .... via, invece Fabio (**16** *restare*) .... con Valeria.

Produzione scritta

5 **Scrivi una mail a un tuo amico/una tua amica. Racconta un fatto strano che ti è successo. Usa il passato prossimo.**

La mail può cominciare con:

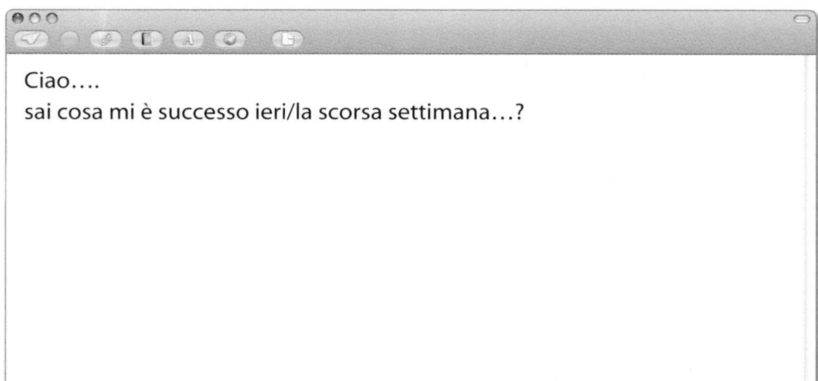

Scritttori italiani *del Novecento*

Nella letteratura italiana del Novecento troviamo grandi nomi di scrittori e poeti.

Gabriele D'Annunzio (Pescara, 1863 – Gardone Riviera, 1938)

Gabriele D'Annunzio è un grande nome della letteratura italiana. Poeta e scrittore, simbolo del Decadentismo italiano, partecipa alla Prima Guerra Mondiale. Soprannominato il Vate cioè il profeta, svolge un ruolo importante non solo nella letteratura, ma anche (soprattutto dal 1914 al 1924) nella vita politica. Scrive poesie, romanzi, opere teatrali. Tra i romanzi il più famoso è "Il Piacere" (1889), che ha come protagonista l'eroe decadente Andrea Sperelli, giovane insoddisfatto della vita alla ricerca di continue sfide.

Luigi Pirandello

(Agrigento 1867 – Roma 1936)

Scrive opere teatrali, romanzi e poesie. Nel 1934 è insignito del Premio Nobel per la letteratura. Tra i suoi romanzi più famosi: "Uno nessuno centomila" (1925) e "Il fu Mattia Pascal" (1904). Tra le sue opere teatrali più importanti: "Sei personaggi in cerca d'autore" (1921) e "Enrico IV" (1922). Tematiche centrali nella sua opera: il contrasto tra illusione e la realtà, il doppio e la pazzia.

Italo Svevo

(Trieste, 1861 – Motta di Livenza, 1928)

Un altro importante scrittore italiano del Novecento è Italo Svevo. Questi nasce proprio a Trieste dove è ambientata la nostra storia.
Il suo vero nome è Aron Ettore Schmidt. Scrive romanzi, racconti e opere teatrali. Diventa amico di James Joyce, che conosce frequentando un corso di inglese.
Il romanzo più famoso di Italo Svevo è "La coscienza di Zeno" pubblicato nel 1923. I temi centrali delle sue opere sono la malattia e l'inettitudine (incapacità di vivere nella società), l'assurdità dei rapporti sociali e il fallimento personale. Sembrano tutti elementi pessimisti. Però il pessimismo non è così evidente nella sua opera perché il tono narrativo è spesso ironico e umoristico.

Primo Levi nasce nel 1919. Vive a Torino quando nel 1943, durante la seconda Guerra Mondiale, viene deportato nel campo di concentramento di Auschwitz. Il suo romanzo "Se questo è un uomo" (1947) racconta le sue terribili esperienze nel lager. È diventato un classico della letteratura mondiale. Lo stile dello scrittore, soprattutto nelle prime opere, è realistico e diretto, ma nello stesso tempo di grande intensità.
Primo Levi muore nel 1987, probabilmente suicida. È autore di altri romanzi tra cui: "La tregua" (1962). In questo libro descrive la propria esperienza al ritorno in Italia dal campo di concentramento.

Alberto Moravia, pseudonimo di Alberto Pincherle, nasce a Roma nel 1907. Nella sua carriera di scrittore e giornalista pubblica circa trenta romanzi. Il più famoso è considerato "Gli indifferenti" del 1929. I temi centrali della sua opera sono l'ipocrisia della società contemporanea, la sessualità moderna e l'alienazione. Da diversi suoi romanzi sono tratti famosi film degli anni cinquanta e sessanta; lui stesso collabora alla regia di film come "Ossessione" di Luchino Visconti (1943).

Alberto Moravia si sposa con due importanti scrittrici: la sua prima moglie infatti è Elsa Morante (di cui parliamo qui di seguito), la seconda Dacia Maraini. Moravia muore a Roma nel 1990.

Elsa Morante nasce a Roma nel 1912. Scrive romanzi, saggi e poesie. È considerata una delle scrittrici più importanti del periodo del Dopoguerra. Tra i suoi romanzi più famosi: "La storia" (1974), ambientato nella Roma della seconda guerra mondiale. La storia è vista attraverso gli occhi dei protagonisti della vicenda e descritta con grande intensità.

Anche da "La storia" come da diversi romanzi di autori italiani di questo periodo, è tratto un film famoso (del regista Comencini). La scrittrice muore a Roma nel 1985.

Nato a Santiago de Las Vegas (a Cuba) nel 1923, **Italo Calvino** è un intellettuale di grande impegno politico. È generalmente considerato lo scrittore italiano più importante della seconda parte del Novecento.

Osservatore della società contemporanea, ne rappresenta i paradossi, le incertezze, le oscillazioni... Le sue opere rappresentano un momento importante ed estremamente originale della narrativa italiana.

Nella sua produzione è importante anche l'elemento fantastico-avventuroso presente, per esempio, nei tre romanzi: "Il Visconte Dimezzato", "Il Barone Rampante", "Il Cavaliere Inesistente".

Tra i suoi libri più famosi: "Le città invisibili" e "Marcovaldo".

Pier Paolo Pasolini nasce a Bologna nel 1922 e muore a Roma in modo drammatico (assassinato) nel 1975.

Pier Paolo Pasolini è stato scrittore, poeta, romanziere, drammaturgo, giornalista, cineasta. Ha avuto una grande influenza sullo sviluppo culturale del Paese. Negli anni Settanta i suoi interventi e pubblicazioni provocano forti reazioni per le sue critiche alla società borghese e dei consumi, ma anche alla Rivoluzione studentesca del '68.

Tra le sue opere letterarie ricordiamo il romanzo: "Ragazzi di vita" (1955), che si svolge a Roma nel Dopoguerra. Racconta le storie di diversi ragazzi del sottoproletariato romano. È un romanzo estremamente realistico e critico del degrado sociale italiano negli anni dopo la seconda guerra mondiale.

1 Scrivi quali di queste affermazioni riguardo a Gabriele d'Annunzio sono vere (V) e quali false (F).

		V	F
1	D'Annunzio è stato poeta e architetto.	☐	☐
2	Ha giocato un ruolo importante nella letteratura, ma anche nella vita politica del paese.	☐	☐
3	Ha partecipato alla seconda guerra mondiale.	☐	☐
4	La sua opera più importante è un romanzo.	☐	☐
5	È il principale rappresentante del romanticismo italiano.	☐	☐

2 Rispondi alle seguenti domande riguardo a Luigi Pirandello.

1 Quando riceve il premio Nobel?

....

2 Che cosa scrive?

....

3 Quali sono le sue opere teatrali più importanti?

....

4 Quali sono le tematiche centrali della sua opera?

....

3 Completa queste frasi riguardo a Italo Svevo.

1 Italo Svevo nasce a ....

2 Il suo vero nome è ....

3 Conosce l' autore inglese ....

4 Il titolo del suo romanzo più famoso è ....

5 I temi centrali della sua opera sono ....

4 Rispondi alle seguenti domande riguardo a Primo Levi.

1 Quale terribile esperienza ha vissuto Primo Levi?

....

2 Qual è il titolo del romanzo in cui racconta questa esperienza?

....

3 Come è definito lo stile dello scrittore?

....

5 Rispondi alle seguenti domande riguardo a Moravia.

1 Quanti romanzi scrive Moravia?

....

2 Qual è il suo romanzo più famoso?

....

3 Quali sono i temi centrali della sua opera?

....

6 Indica quali di queste affermazioni sono vere (V) e quali false (F) riguardo a Elsa Morante e a Italo Calvino.

		V	F
1	Elsa Morante scrive opere teatrali e novelle.	☐	☐
2	Il suo romanzo più famoso e ambientato durante la prima guerra mondiale.	☐	☐
3	Da questo romanzo è tratto un film di un regista italiano.	☐	☐
4	Italo Calvino nasce a Cuba.	☐	☐
5	Le sue opere sono particolari e originali.	☐	☐
6	Ha ricevuto il premio Nobel per la letteratura.	☐	☐
7	Nelle sue opere l'elemento fantastico gioca un ruolo importante.	☐	☐

7 Rispondi a queste domande riguardo a Pier Paolo Pasolini.

1 Dove nasce Pier Paolo Pasolini?

....

2 Come muore?

....

3 A chi/che cosa rivolge forti critiche?

....

4 Qual è il titolo di una delle sue opere più importanti?

....

CAPITOLO 7

La fine di un amore

8

I giorni seguenti a scuola Valeria si sente più tranquilla e disinvolta[1] forse perché per la prima volta nella sua vita ha condiviso[2] il segreto che la teneva lontana dagli altri. Marco, al contrario, è molto imbarazzato e le dice:

"Non dovevo andarmene, mi dispiace... Dovevo rimanere con te e starti vicino... Sono stato un vigliacco[3]..."

Valeria risponde:

"No, non dire così... A me dispiace: la serata non doveva finire così, ma non ha importanza... dimentichiamo tutto, se vuoi..."

1. **disinvolto** : a proprio agio, sicuro di sé.
2. **condividere** : mettere in comune con altri.
3. **vigliacco** : persona senza coraggio, pauroso.

Marco propone:

"Possiamo festeggiare di nuovo il tuo compleanno... da soli... come piace a te... magari in un ristorante romantico..."

Valeria sorride: il sabato sera vanno al ristorante, escono ancora insieme, ma entrambi capiscono che qualcosa si è spezzato[4] tra di loro.

È venuta la primavera: sulle spiagge cominciano ad arrivare i primi turisti, il sole è un po' più caldo e le giornate più lunghe. Valeria fa lunghe passeggiate lungo il mare, spesso l'accompagna Fabio perché a Marco non piace passeggiare ("Roba da vecchietti" dice) e poi si sente sempre più lontano da Valeria e dal suo mondo. È vero che Valeria è cambiata: non è più così timida come prima. Adesso parla con tutti, e ha amici e amiche nella sua classe e nella scuola, ma i suoi interessi sono rimasti gli stessi e molto diversi da quelli di Marco.

Un sabato sera, nella pizzeria in cui Valeria e Marco vanno sempre a mangiare, succede ciò che da tempo doveva succedere: si lasciano. È Marco che comincia dicendo:

"Io ti amo ancora, ma capisco che siamo due mondi... due mondi... a mille anni luce..."

Valeria risponde:

"È vero che siamo diversi, che abbiamo interessi diversi, ma non è forse anche vero che tante coppie vivono a lungo insieme felici anche se, o proprio perché, sono diversi...? Perché la diversità dell'altro è un motivo costante[5] di fascino."

"Quindi?" domanda Marco.

"Non lo so... io ti voglio bene..." risponde Valeria.

4. **spezzarsi** : rompersi.

5. **costante** : che c'è sempre.

"Mi ami o mi vuoi bene?" chiede Marco.

"Io... penso... di volerti bene, amare è una parola grossa[6]..." dice Valeria.

"Io invece..." dice Marco, e, per la prima volta nella sua vita, gli mancano le parole... "io penso di amarti... sì... di amarti..." La guarda, e non aspetta la risposta, aggiunge subito:

"E Fabio? Cosa mi dici di lui?"

"Cosa c'entra Fabio?" replica Valeria.

"Ti vedo con lui; avete tante cose in comune, siete tutt'e due solitari, tutt'e due amate i libri... E poi quando sei con lui, si vede che sei più felice di quando sei con me..." dice Marco, non con rabbia ma con tristezza.

Valeria non risponde; non ne ha il coraggio ma sa che Marco ha ragione. È proprio così; con Fabio lei sta bene come con Marco non è mai stata. Alla fine lei pronuncia[7] la solita frase, quella che si dice sempre, per paura di perdere qualcosa del passato:

"Io spero che... rimarremo amici."

Le coppie si sciolgono[8] e si ricostituiscono[9] come spesso accade quando si hanno diciotto anni e non si conoscono ancora il mondo, gli altri e, forse, neanche se stessi.

Valeria esce sempre più spesso con Fabio, ormai ufficialmente[10] suo fidanzato. Marco è sempre un po' innamorato della bella e misteriosa Valeria, ma trascorre il suo tempo con Susanna in feste e uscite con gli amici.

6. **parola grossa** : (fig.) parola importante, impegnativa.
7. **pronunciare** : (qui) dire.
8. **sciogliersi** : (qui) lasciarsi, dividersi.
9. **ricostituirsi** : (qui) rimettersi insieme.
10. **ufficialmente** : in modo pubblico, a conoscenza di tutti.

8

Comprensione

1 Rispondi alle seguenti domande.

1 Perché Valeria si sente finalmente più tranquilla?
2 Perché invece Marco si sente un vigliacco?
3 Cosa propone Marco?
4 Cosa fanno il sabato?

2 Indica se le seguenti frasi sono vere (V) o false (F).

		V	F
1	Valeria e Marco escono ancora insieme.	☐	☐
2	È venuto l'inverno.	☐	☐
3	Valeria passeggia spesso con Marco.	☐	☐
4	Valeria è cambiata: è diventata più aperta e disinvolta.	☐	☐
5	Anche i suoi interessi sono cambiati.	☐	☐

3 Indica l'alternativa corretta.

1 Valeria e Marco si lasciano perché
- a ☐ Valeria si è innamorata di Fabio.
- b ☐ sono molto diversi.
- c ☐ Marco si è innamorato di Susanna.

2 Marco ama Valeria e Valeria
- a ☐ gli vuole soltanto bene.
- b ☐ lo ama molto.
- c ☐ lo detesta.

3 Valeria sta bene con Fabio perché
- a ☐ conosce il suo segreto.
- b ☐ è più tranquillo di Marco.
- c ☐ hanno interessi simili.

4 Nelle settimane seguenti Valeria
- a ☐ continua a uscire con Marco.
- b ☐ resta sola.
- c ☐ esce con Fabio.

5 Marco esce con
- a ☐ nessuno.
- b ☐ Susanna e i suoi amici.
- c ☐ Valeria.

6 Marco
- a ☐ non è più innamorato di Valeria.
- b ☐ è sempre un po' innamorato di Valeria.
- c ☐ è sempre più innamorato di Valeria.

7 Marco vede spesso
- a ☐ Valeria.
- b ☐ Susanna.
- c ☐ Fabio.

Competenze linguistiche

4 Inserisci le "parole dell'amore" nelle seguenti frasi:

divorziare lasciarsi innamorarsi frequentarsi volere bene

1 Valeria .... a Marco, ma non lo ama.
2 Valeria e Fabio invece hanno cominciato a ....
3 Ogni estate mio fratello .... di una ragazza diversa che poi non vede più.
4 Quando due persone non vanno più d'accordo ....
5 Sono stati sposati per vent'anni, adesso vogliono ....

5 Qual è il contrario di questi aggettivi. Indica l'alternativa corretta.

1 vigliacco	a ☐ coraggioso	b ☐ saggio
2 tranquillo	a ☐ agitato	b ☐ intellettuale
3 disinvolto	a ☐ geloso	b ☐ timido
4 diverso	a ☐ differente	b ☐ usuale
5 felice	a ☐ triste	b ☐ invidioso

Produzione scritta

6 **Sei innamorato/a? Hai trovato questo questionario su una rivista. Segna le frasi che sono vere per te e poi controlla il tuo punteggio.**

○ Non mangi.	1 punto
○ Sei sempre distratto/a.	2 punti
○ Parli e ridi da solo/a.	3 punti
○ Telefoni continuamente al tuo miglior amico/alla tua migliore amica per parlare di lui/di lei.	3 punti
○ Pensi sempre e solo a lei/a lui.	4 punti
○ Quando devi uscire con lui/lei impieghi almeno mezz'ora a prepararti.	3 punti
○ Ti metti un profumo prima di vederlo/a.	1 punto
○ Prepari argomenti di conversazione. Non vuoi che lui/lei si annoi con te!	3 punti
○ Quando ti deve telefonare guardi continuamente l'orologio.	3 punti

Se hai totalizzato almeno **15 punti** sei sicuramente innamorato/a.

Produzione orale

7 **Descrivi queste coppie da solo o in coppia con il tuo/la tua partner. Che età hanno? Cosa fanno? Sono innamorati secondo te?**

1

2

3

CAPITOLO 8

Epilogo

È una sera d'estate quando Valeria telefona a Fabio: 9

"Vieni subito, te ne prego! Mio padre sta male..."

Fabio arriva alla casa sulla scogliera quando è già buio. Valeria e la madre sono in salotto e, sdraiato sul divano, davanti al caminetto c'è il padre di Valeria.

La madre piange e dice: "Ha la febbre altissima... sta male... molto male... Non vuole mangiare né bere niente..." Fabio propone: "Posso chiamare mio padre. Adesso è a casa. È medico... se lo chiamo, viene subito."

La madre di Valeria lo guarda timorosa. Allora Fabio aggiunge: "Non si preoccupi... lui non può dire niente di ciò che vede qui... è tenuto al segreto professionale[1]."

La madre di Valeria dice: "Telefonagli!..." e il padre di Fabio, il dottor Perti, arriva dopo dieci minuti con la sua valigetta.

1. **segreto professionale** : tutto ciò che è confidato ad un medico (o a un avvocato) nell'ambito della sua professione e che non si può dire.

Quando vede il padre di Valeria non fa domande, lo visita in silenzio e poi dice: "È soltanto un'influenza... con queste medicine e nel giro di pochi giorni... il signor... sarà come nuovo."

"Questo è mio marito, il signor Giannini" dice la madre di Valeria "E io la prego di non dire a nessuno quello che ha visto in questa casa."

"Va bene" dice il dottore "vengo anche domani a controllare come sta il malato."

Il padre di Fabio torna l'indomani e poi ancora molti altri giorni. Assicura alla madre di Valeria che nessuno vuole portarle più via il marito e la convince a farlo vedere da un esperto psichiatra, suo amico. L'esperto è un uomo piccolo piccolo con gli occhiali giganteschi [2], sembra una caricatura di Woody Allen; rimane a parlare con il padre di Valeria per più di due ore. Quando esce dalla camera dice: "Il signor Giannini soffre di qualche disturbo psichico di poco conto, ma è stato rinchiuso in questa casa per troppo tempo; deve uscire, vivere normalmente, stare tra la gente; nessuno lo può costringere a tornare in un ospedale..."

La madre di Valeria ricorda bene ciò che è successo otto anni prima e dice al dottore: "Quando lui è tornato, i dottori lo hanno messo in un'orrenda clinica e non..."

Lo psichiatra risponde: "Adesso quegli ospedali non esistono più, signora, o almeno, ce ne sono pochi soltanto per casi gravi. Adesso suo marito può tranquillamente stare a casa. Naturalmente deve fare una terapia [3], con me o con qualche altro medico."

La madre di Valeria è molto contenta, e dice: "Adesso, amore, possiamo uscire e andare dove vogliamo..."

Ma il marito non sembra molto felice e lei capisce che sarebbe

2. **gigantesco** : enorme, grandissimo.
3. **terapia** : cura.

adesso un trauma per lui andare in paese. Sa che suo marito ha ancora paura della gente e nella cittadina tanti si ricordano di lui: lì si può sentire guardato e 'controllato'. Così ha un'idea, che propone a Valeria: "Possiamo andare tutti e tre in Germania, ad Amburgo, da dove manco da tanti anni! Possiamo fare una bella vacanza tutti insieme..."

Pensa che lì il marito avrà la possibilità di riabituarsi alla gente: nessuno lo conosce ed è una grande città.

Questa è la prima vacanza per Valeria da tanto tempo: rimane ad Amburgo per più di un mese. Vede tante cose e conosce amici di sua madre, passa tanto tempo con il padre che diventa sempre più tranquillo e sereno.

È di nuovo autunno e la scuola è ricominciata da ormai un mese. Valeria va a scuola ogni mattina, studia di pomeriggio, va spesso in biblioteca, suona il piano, legge; ma in realtà la vita è cambiata completamente per lei.

È nato un grande amore tra lei e Fabio che ormai sono diventati inseparabili e nella sua famiglia adesso c'è un padre, un vero padre, che lavora come disegnatore ed è rispettato da tutti.

Così anche il carattere di Valeria è cambiato: adesso è più sicura di se stessa, meno timida, e... parla tanto, anzi, come dice Fabio, 'sempre'.

È vero che il padre di Valeria non è completamente guarito. Ma grazie alle cure di uno psicologo e all'amore della sua famiglia ora riesce ad essere più sereno e a dimenticare le paure e gli incubi [4] notturni.

Così di notte nessun urlo risuona nella casa sulla scogliera e la gente non teme più né Valeria né la sua famiglia.

4. **incubo** : brutto sogno.

Comprensione

1 Completa le seguenti frasi con le informazioni che ricavi dal testo.

1 È una sera d'estate quando Valeria ....
2 Quando Fabio arriva a casa di Valeria, lei e ....
3 Sdraiato sul divano davanti al caminetto c'è il ....
4 Fabio vuole chiamare il padre. Questi infatti è un ....
5 Fabio promette che manterrà il ....

2 Rispondi alle seguenti domande.

1 Che cos'ha il padre di Valeria? ....
2 Quando torna il dottore?..
3 Di che cosa convince la madre di Valeria?..

3 Indica l'alternativa corretta.

1 Lo psichiatra è un uomo
- a ☐ grande e grosso.
- b ☐ piccolo con grandi occhiali.
- c ☐ di media statura e di media corporatura.

2 Il padre di Valeria non vuole
- a ☐ andare ad Amburgo.
- b ☐ riprendere a lavorare.
- c ☐ andare in paese.

3 In estate Valeria e la sua famiglia
- a ☐ passano un mese ad Amburgo.
- b ☐ si trasferiscono ad Amburgo.
- c ☐ fanno una vacanza in nave.

4 In autunno Valeria
- a ☐ è di nuovo in Italia.
- b ☐ sta per qualche settimana in Germania.
- c ☐ non vuole tornare in Italia.

5 Lei e Fabio
- a ☐ si sono lasciati.
- b ☐ sono solo amici.
- c ☐ sono ancora insieme e innamorati.

6 Il padre di Valeria
- a ☐ è guarito completamente.
- b ☐ non è guarito completamente.
- c ☐ è ancora molto malato.

Competenze linguistiche

4 Il padre di Fabio fa il dottore, il suo amico invece è uno psichiatra. Il padre di Valeria invece diventa un disegnatore. Quali altri mestieri conosci in italiano?

....

Grammatica

Il verbo *stare*

Il verbo *stare* si usa per diversi casi:

- per indicare "trovarsi in un luogo"
  Es. ***Sto*** *qui adesso. Non mi muovo.*
- per esprimere lo stato di salute
  Es. *Il padre di Valeria* ***sta*** *molto male.*
- in espressioni come: stare seduto, stare in piedi, stare zitto.
  Es. *I ragazzi* ***stanno*** *seduti in classe.*

5 Completa il dialogo con la forma corretta del verbo *stare*.

"Come (**1**) ...., Marco?" "Non (**2**) .... molto bene. Ho l'influenza, credo."

"Come (**3**) .... i tuoi genitori?" "Anche loro non (**4**) .... bene."

"Voi come (**5**) ....?" "(**6**) .... benissimo, grazie."

I protagonisti

1 Collega il nome con la descrizione dei personaggi principali del racconto.

1 Valeria	4 Fabio	6 Il padre di Valeria
2 Marco	5 La madre di Valeria	7 Il padre di Fabio
3 Susanna		

a ☐ Dicono che sia una strega, ma in realtà è una donna bionda, molto carina.

b ☐ È una ragazza timida e interessata alla cultura e alla musica.

c ☐ È un ragazzo intellettuale, migliore amico di Marco.

d ☐ Gli piacciono le feste e ama stare con la gente.

e ☐ Le piacciono i vestiti e il divertimento.

f ☐ È un dottore.

g ☐ È malato e sta nascosto nella soffitta della casa di Valeria.

2 Quale personaggio cambia di più nel corso della storia?

a ☐ Valeria **b** ☐ Marco **c** ☐ Susanna

3 Chi cambia vita alla fine della storia?

a ☐ Marco **b** ☐ Il padre di Valeria **c** ☐ Fabio

4 Dove si svolge la storia? ....

5 Quali sono i temi della storia?

a ☐ L'amore

b ☐ Il successo

c ☐ La follia

d ☐ Il ruolo della donna

e ☐ L'amicizia

f ☐ Il valore del lavoro

La trama

6 Completa la sintesi della storia con le parole mancanti.

una festa un grido amici i vestiti biblioteca compagno di scuola un po' intellettuale

Valeria è una ragazza introversa e timida che non ha (**1**) ....
Un giorno incontra Marco in (**2**) .... Marco è un suo (**3**) .... , simpatico, con tanti amici e anche molto carino. I due cominciano a frequentarsi. Marco invita Valeria a (**4**) .... dove lei si diverte per la prima volta nella sua vita. Va con Marco e con altri due suoi amici, Susanna e Fabio. Susanna è una ragazza allegra che ama (**5**) .... e le feste. Fabio invece è un tipo (**6**) .... Dopo la festa Marco bacia Valeria. Mentre Valeria sta entrando in casa, si sente (**7**) .... che proviene dalla casa stessa.

7 Scrivi adesso le risposte a queste domande sulla seconda parte della storia.

1 Che cosa succede quando Marco, Susanna e Fabio vanno a mangiare a casa di Valeria? ....
2 Chi resta e aiuta Valeria? ....
3 Perché Valeria e Marco si lasciano? ....
4 Chi comincia a frequentare Valeria? ....
5 Che lavoro si mette a fare il padre di Valeria? ....

8 Come finisce la storia? Completa.

Valeria e Fabio ....

Il padre di Valeria ....

A te

9 Tu che genere di storie preferisci?

a Gialli/thriller **c** Sentimentali (romantici) **e** Fantasia
b Fantascienza **d** Comici

10 Quale personaggio della storia ti è piaciuto di più? Perché?